KV-427-275

LENA SJÖBERG

Natten lyser!

OPAL

Natten

Natten är här. Det är alldeles mörkt.
Eller är det verkligen det?

På himlen lyser månen blekt. En bil kör förbi där vi står och i strålkastarljuset blixtrar plötsligt två gula prickar till. En katt! Eller var det ett lodjur?

Står vi stilla en stund hinner våra ögon vänja sig vid mörkret och vissa kvällar ser vi Vintergatans alla stjärnor som ett ljust band ovanför oss.

Natten rymmer både ljus och mörker.

Följ med in i den dunkla skogen, ner i det kolsvarta havet och vidare ut i en öde nattstad och upptäck allt som faktiskt lyser!

På himlen

Den lysande natthimlen har alltid varit viktig för oss. Den första månkalendern uppfanns för flera tusen år sedan, efter att människor iakttagit månens olika faser. Sjömän har använt stjärnorna som riktmärken när de stora haven korsats och på land har månen setts som både magisk och praktisk. Under fullmånen har sagor berättats, strumpor stoppats och höstskörd bärgats. Trots att många idag bor på platser där det aldrig blir så mörkt att vi tydligt kan se himlens ljus, fortsätter natthimlen att fascinera.

Månen

Månen lyser inte av sig själv, utan återspeglar det ljus som ständigt strålar från solen. En gång i månaden, när det är fullmåne, ser vi hela den solbelysta delen av månen. Halvmåne säger vi när vi ser halva den belysta delen av månen.

Stjärnor

En stjärna är en het boll av gas. Som föds, åldras och dör. Man tror att det i vår egen galax och i resten av rymden finns ungefär lika många stjärnor som det finns celler i alla nu levande människors kroppar tillsammans! Fastän stjärnorna ser ut som små prickar är de jättestora. Den minsta vi känner till har samma storlek som planeten Saturnus. Den största kan vara 2000 gånger större än solen! Ofta tänker vi kanske inte på att även solen är en stjärna. Av alla stjärnor är solen den som ligger närmast oss.

Halo

Halo kallas de ringar som uppstår kring månen då ljus reflekteras i iskristaller som svävar i atmosfären. Liknande ringar kan också bildas kring lysande gatlyktor och andra ljuskällor.

LILLA BJÖRNEN

Befinner man sig på norra halvklotet och vill hitta Polstjärnan, kan man följa en tänkt linje från kanten på Karlavagnen till handtaget längst ut på Lilla björnen.

POLSTJÄRNAN

KARLAVAGNEN

Stjärnfall

Om man säkert vill se stjärnfall ska man bege sig bort från stadens ljus en natt i mitten av augusti. Då kan man få se 100 stjärnfall i timmen! Stjärnfall är egentligen inte fallande stjärnor, utan rymdgrus som hettats upp när det kommit in i jordens atmosfär. Rymdgruset faller mot jorden som lysande streck. Ett annat namn för stjärnfall är meteor.

Jupiters ljus

Astronomer har i teleskop kunnat fotografera ett starkt lysande ljussken kring Jupiters nord- och sydpol. Skenet är av samma slag som det vi känner som polarsken och finns också kring andra planeters poler.

Venus

I skymningen kan vi ibland med blotta ögat se planeten Venus när den reflekterar solens ljus. Planeten brukar då kallas för *aftonstjärnan* och lyser starkare än alla stjärnorna på himlen. Vi kan även se Venus i gryningen. Då kallas den *morgonstjärnan*.

VÅRT SOLSYSTEM

VINTERGATS-SYSTEMET

Vintergatssystemet

Vintergatssystemet är vår egen galax. Här hör jorden och de övriga planeterna i vårt solsystem hemma. Här ryms också flera hundra miljarder stjärnor, ett okänt antal planeter samt jättelika gasmoln, där nya stjärnor och solsystem föds. Det vita band av stjärnor vi ibland ser på natthimlen kallas Vintergatan och syns tydligast i början av hösten. Vintergatan utgör en del av Vintergatssystemet.

Ett mystiskt moln

År 1994 drabbades Los Angeles av strömavbrott efter en jordbävning. Det sägs att larmcentraler och rymdobservatorier fick ta emot samtal från rädda och oroliga människor som undrade vad det var för ett mystiskt moln av vita prickar på himlen. Människorna i den annars ständigt upplysta staden hade aldrig tidigare sett Vintergatan

Polarsken

Ständigt slungas partiklar ut från solen och dras mot jordens poler. När partiklarna kommer in i atmosfären och krockar med gasmolekyler uppstår ett ljusfenomen som kallas polarsken. På norra jordklotet kallar man ljusskenet för *norrsken* och på det södra *sydsken*. Tunna, olikfärgade moln rör sig fladdrande hit och dit över himlen.
Människor reser från hela världen till platser där man kan se polarsken. På vissa ställen, som Abisko och Pajala till exempel, kan man uppleva norrsken nästan varje molnfri natt under vinterhalvåret.

Förr i tiden

Förr i tiden användes norrskenets färger för att spå väder och man har ibland tolkat norrsken som ett tecken på att någonting hotfullt väntar. I den samiska traditionen har det ansetts farligt att jojka eller vissla i norrsken, eller att säga hånfulla saker om det.

Så här (ungefär) såg norrskenet ut en novembernatt 2015 när det fångades på bild av en fotograf i Pajala. Många tyckte sig se en varg på himlen. Det finska ordet för norrsken är förresten *revontulet* som betyder *räveld*. Enligt gammal folktro uppstod norrsken när en magisk räv piskade upp snö ur snödrivorna med sin svans.

Fånga norrskenet!

Det är inte helt lätt att fotografera norrsken. Man behöver ett stadigt stativ och riktigt tjocka vantar. På bild får norrsken ofta en gröngul färg trots att det i verkligheten kan ha många olika nyanser. Förutom grönt och gult kan norrsken lysa rött, blått och lila. Norrsken förekommer hela dygnet, men syns bara då mörkret fallit.

Nattdjur

Visste du att många djur har reflexer längst bak i ögonen, vilka tar tillvara på det lilla ljus som finns i natten? Det svaga ljuset studsar mot reflexerna för att sedan passera syncellerna en extra gång. På så sätt skärper djuren sin syn och får lättare att leva i mörker. Reflexen heter på latin *tapetum lucidum* (vilket betyder "ljus väv").

Olika nattaktiva djurs ögon kan, när de träffas av ljussken, glimma i många olika färger.

Varg

Vargens ögon kan lysa gula, gröna eller röda i skenet av en ficklampa eller en billykta.

Vildsvin

Vildsvinet är ett nattaktivt djur som saknar reflexer i ögonen. Detta gör att det kan vara svårt att upptäcka vildsvin i trafiken på natten.

Katt

I mörkret lyser brunögda katters ögon grönt när de möts av ljus. Blåögda katters ögon skimrar rött. Under medeltiden trodde vissa människor att kattens lysande ögon var speglingar av helvetets eld.

Vissa nattflyn har ljusreflekterande ögon.

Lodjur

Det latinska namnet för lodjur är *lynx lynx*, där lynx betyder lysa eller skina. Förr i tiden trodde man att lodjurets päls lyste i mörkret.

Uggla

De flesta fåglar saknar *tapetum lucidum*. Ugglan, skärrfågeln och fladdermusvråken har däremot reflexer i sina ögon.

Rådjur

Rådjursögon kan lysa gult eller grönt.

Mystiska ljus

Har du hört talas om irrbloss? Mystiska ljus som nattetid setts dansa ovanför gravar eller i sumpmarker? Förr trodde man att de irrande ljuslågorna kom från lyktgubbens lykta, eller från döda som ville varna för farliga myrar. Men hur uppstår irrbloss? Är det kanske brinnande sumpgaser? Optiska ljusfenomen? Eller klotblixtar? Ingen vet säkert. Andra namn för irrbloss är drakbloss eller skattebloss.

Lyktgubben

För länge sedan trodde många på lyktgubben. Lyktgubben kunde vara vålnaden efter en bonde som fuskat till sig mark, eller en osalig ande som vaktade nedgrävda pengar. Lyktgubben kunde också lysa upp vägen åt den som gått vilse. (Lyktgubbar kallades även de som tände och släckte städernas gaslyktor innan vi hade elektriskt gatljus.)

Oförklarliga ljussken, liknande de vi i Sverige kallar irrbloss, finns på många håll i världen. I Australien kallas ljuslågorna för *Min Min*, i Japan *Kitsune* och i Indien *Chir batti*. I Norge förekommer de mystiska *Hessdalen-ljusen* och i Texas svävar *Marfa-ljusen* längs Route 67. I många engelsktalande länder brukar man prata om *Will-o-the-wisp* eller *Jack-o-lantern* när man berättar om ett gåtfullt ljussken i natten.

Klotblixtar

Klotblixtar ser ut som vita eller blå ljusbollar som rör sig i närheten av eluttag, skorstenar eller järnvägsspår. Det finns ingen riktig förklaring till hur blixtarna uppstår, förutom att de verkar dyka upp i samband med åska.

På marken

Vad är det som lyser med ett glittrande grönt sken bland stenarna i skogen? Eller under rotvältor, i mörka håligheter eller på golv i gamla ödehus? Lysmossa heter växten som går att hitta både i Sverige och i många andra delar av världen. Förr i tiden trodde man att häxor planterat lysmossan ovanpå gömda guldskatter. Lysmossa kallas också drakguld.

Lysmossa

Lysmossan ser ut att lysa av sig själv, tack vare att pyttesmå, linsformade celler fångar upp det lilla ljus som finns i omgivningen, för att sedan sprida det i ett smaragdgrönt skimmer.

Lysande stenar

Diamanter ger ifrån sig lysande färgsken när ultravioletta strålar riktas mot dem. Många andra mineraler har samma egenskaper. Bärnsten lyser till exempel blått. Och tugtupit, ett sällsynt och värdefullt mineral från Grönland, lyser knallrött.

Agat

Fluorit

Dolomit

Aragonit

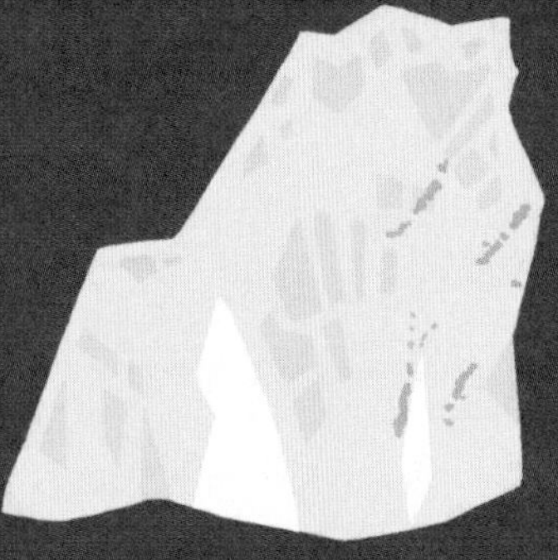

Skapolit

Willemit

Tugtupit

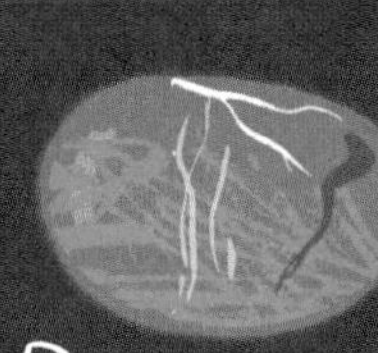

Bärnsten

Diamant

Adamit

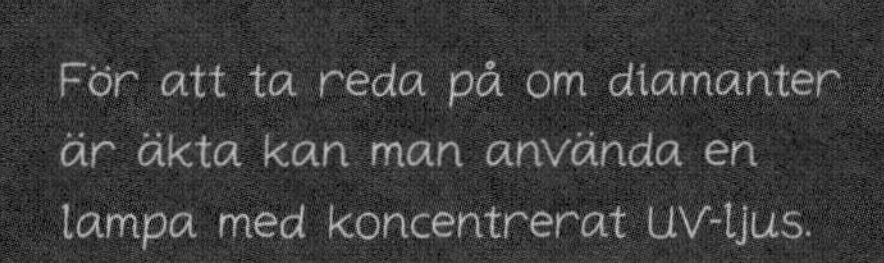

För att ta reda på om diamanter är äkta kan man använda en lampa med koncentrerat UV-ljus.

Ultraviolett ljus

Ljus består av elektromagnetiska vågor. Vågornas olika våglängder uppfattar vi som färger. Vissa färger kan vi inte se, till exempel de med väldigt kort våglängd. Dit hör ultraviolett ljus (UV-ljus), som även finns i särskilda lampor. Riktar vi UV-ljus mot en bärnsten i ett mörkt rum ser vi inte UV-strålarna, utan bara det ljus (i form av lysande blått) som stenen reflekterar.

Svampar

Över 70 arter av självlysande svampar har man hittills hittat, varav minst en i svenska skogar. Vissa lyser knappt märkbart, andra så starkt att man skulle kunna använda dem som läslampor! Ljuset lockar till sig insekter, vilka hjälper till att sprida svamparnas sporer.
Genom att lysa och se giftiga ut, tror man också att svamparna skrämmer bort svampätande djur.
När morgonen kommer slocknar svamparnas ljus.

Honungsskivling

Honungsskivlingen växer i Sverige och i många andra länder. Svampens svagt självlysande rötter, *mycel*, kan bre ut sig över kvadratkilometerstora områden. I Nordamerika har man hittat system av lysande mycel som vägt över 100 ton!

Trollved

Honungsskivlingens rottrådar växer ofta in i murkna stubbar och omkullfallna träd och gör dessa självlysande. Sådan ved kallas trollved, lysved eller uggleved. Förr kunde trollved användas som ljuskälla längs mörka vägar.

Lysande spår

Ibland kan man se hur djurspår glimmar på marken där lysande rottrådar skymtar fram.

Bland bladen

Riktigt mörka sommarnätter, särskilt i södra Sverige, kan man ha turen att få syn på lysmaskar. För att locka till sig hanar sitter honorna stilla i gräset och lyser med sina bakkroppar. I varmare länder är eldflugor vanliga. När eldflugehanarna vill fånga honornas intresse blinkar de, ibland till och med i takt. Även bland tusenfotingar, skalbaggar och sniglar finns självlysande arter. Vissa spindlar och fjärilar reflekterar ultraviolett ljus och nyss upptäcktes att många kameleonter gör detsamma. Man har också hittat en sällsynt grodart i Argentina som skimrar gröngult i skenet av UV-ljus.

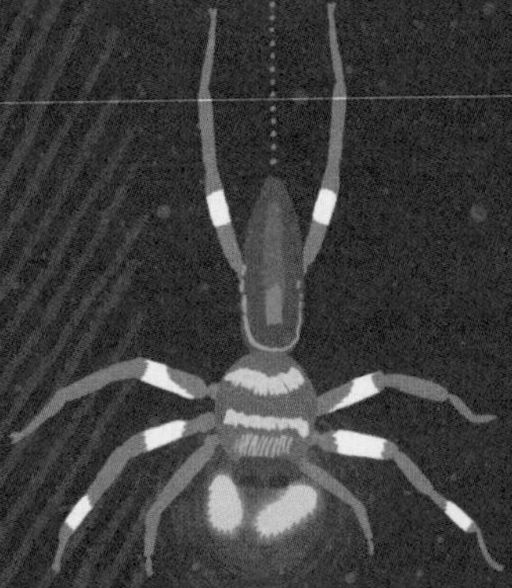

Hoppspindel

Eldtusenfoting

Eldtusenfotingen ger ifrån sig en självlysande vätska om den blir skadad eller när den känner sig hotad.

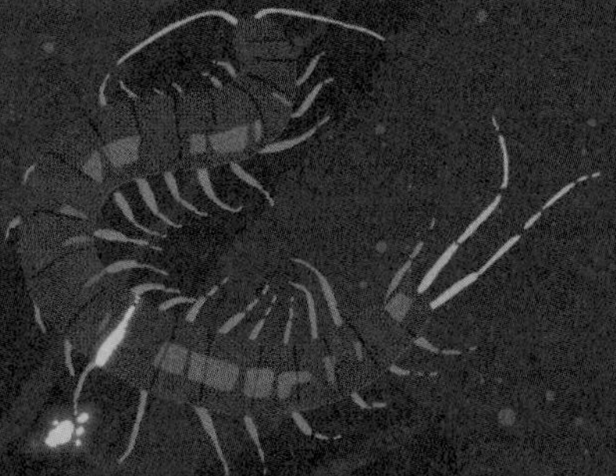

Lysmask

hane

hona

Snigel (Dyakia striata)

ägg

Fjäril

"Tågmask"
(Phrixothrix)

Phrixothrix är en skalbagge där honan, även som vuxen, ser ut som en larv. Ljuspunkter längs dess kropp får den att påminna om ett nattåg i mörkret.

Eldfluga

Kameleont

Groda
(Hypsiboas punctatus)

I skrymslen och vrår

Om man riktar ultravioletta strålar mot en skorpion lyser den blått eller grönt. Man tror att ljuset som skorpionen utstrålar hjälper den att hitta mörka utrymmen att gömma sig i. Även jättekackerlackan använder ljus på ett fiffigt sätt. På dess skal lever självlysande bakterier som i mörker får kackerlackan att på pricken likna en giftig skalbaggsart. På detta smarta sätt hjälper bakterierna till att skrämma bort jättekackerlackans fiender.

Termithöghus

På savannen i Brasilien kan man se termitstackar som liknar upplysta höghus i natten. I varje hålighet bor en knäpparlarv, som med sitt lysande huvud lockar till sig olika insekter. Insekterna dras in i håligheterna och äts upp av knäpparlarven.

Lysande maskar

Det finns flera arter av lysande maskar. De flesta lever djupt nere i jorden och ännu vet vi väldigt lite om varför maskarna lyser. Maorierna (Nya Zeelands ursprungsbefolkning) sägs ha använt lysande maskar som fiskbete.

FÖRSÖKER LIKNA

Jättekackerlacka

Knäppare

Skorpion

Lysande grottor

I grottor i Nya Zeeland och Australien lever en lysmask som får grottornas tak att påminna om natthimlar! Lysmaskarna spinner långa, klibbiga trådar som dinglar från grottaken likt trådarna i ett pärldraperi. Trots att lysmaskarna lever i mörker varierar deras ljusstyrka under dygnet. När chansen till föda är som störst lyser lysmaskarna som starkast. Insekter som kläcks i grottans vattendrag lockas mot ljuset (som ser ut att komma från himlens stjärnor) för att sedan fastna i lysmaskens snaror.

vuxen

larv

Nya Zeeländsk lysmask

Besöker man någon av de populära lysande grottorna måste man tänka på att inte störa lysmaskarna med höga ljud och fotoblixtar.

Den Nya Zeeländska lysmasken kläcks ur ett ägg, lever som lysande larv i upp till ett år, blir därpå en puppa i några veckor för att sedan avsluta sitt liv som vuxet knott under några dagar. Puppan ger ifrån sig ett blinkande sken, medan den vuxna knotthonan lyser kraftigt för att locka till sig en hane.

I trädkronorna

Till skillnad från oss människor kan många fåglar se ultraviolett ljus. Om vi hade samma förmåga, skulle vi kanske uppleva hur vissa fågelarter framträdde i nästan självlysande färger. På dessa fåglars kroppar finns områden som reflekterar ultravioletta strålar. Forskare har i mörker riktat UV-ljus mot papegojor och plötsligt har nya, skimrande färgfält framträtt på papegojans kropp! Hos många arter verkar de starkast lysande hanarna ha lättast att hitta en partner.

Näbb i UV-ljus

Lunnefågel

I UV-ljus lyser lunnefågelns näbb i starka färger.

Wilson-paradisfågel

De ovanligt starka färgerna hos wilsonparadisfågelns hanar gör att fågeln syns i mörker. Den lever på två öar i Indonesien, där den under parningsdansen ses spärra upp sina gnistrande gröna bröstfjädrar.

Blåmeshanens huvudfläck kan spela roll när blåmeshonan letar efter en partner. Hanens huvudfläck reflekterar UV-ljus och tros signalera att hanen är stark och frisk och lämplig att skaffa ungar med.

Tornuggla
Det finns de som säger sig ha sett tornugglor som spöklikt, med ett lysande vitt sken, svept förbi i natten. Ingen har kunnat bevisa att det finns självlysande ugglor, så kanske är det tornugglans ljusa fjäderdräkt som verkat lysa av sig själv i månskenet? En annan gissning är att ugglor ibland får med sig svampars glimmande rottrådar efter att ha letat föda på marken.
Papegoja
Undulat

I havet

I de djupaste haven är det alltid natt. Långt borta skymtar svaga ljusprickar och när de närmar sig ser vi att det är fiskar, räkor, bläckfiskar och en massa andra djur som lyser. Vissa för att locka till sig en partner, andra för att skrämma fiender eller för att lättare hitta föda. Vissa skjuter blixtar, andra släpper ljusbomber. Vissa rör sig nära havsytan och lyser med exakt samma ljusstyrka som månen. På så vis blir de svårare att upptäcka för de rovfiskar som hungrigt spanar uppåt efter mörka silhuetter.

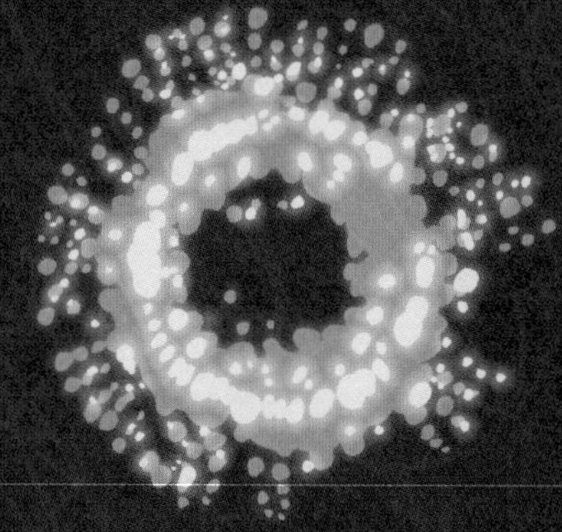

Ringmanet

När något hotar ringmaneten *Atolla wyvillei* blinkar hela undersidan som sirenerna på en polisbil.

Prickfisk

Vampyrbläckfisk

På en fläck under ficklampsfiskens öga bor självlysande bakterier. Fisken kan rikta ljuset dit den vill och slå av och på det genom att blinka.

Kokosnöt-bläckfisk

Clusterwinksnäcka

Clusterwinksnäckan är den enda snäcka som kan tända och släcka sitt skal. Skalet sprider också ljuset på ett sätt som får snäckan att se större ut än den verkligen är.

Ninjahaj

Huggormsfisk

Räka

Vissa räkor kan ge ifrån sig moln av lysande partiklar för att förvirra sina angripare och hinna fly.

Djuphavsmarulk

Blå havsmus

Havsborstmask

Havsborstmasken släpper lysande bomber på de fiender som försöker attackera.

Lysande neon

Hos många av havets självlysande växter och djur är det kemiska processer som skapar ljus. Hos andra fungerar lysande färger ungefär som hemligt bläck, synligt bara för vissa fiskarter. För att vi människor ska kunna se havets hemliga färger, behöver vi återigen använda UV-lampor. Då framträder plötsligt koraller, sjöpennor och havsanemoner i lysande neon! Att även ett par hundra fiskarter och blötdjur (och en havssköldpadda!) reflekterar ljus på detta sätt upptäcktes för ett par år sedan, efter att en dykande fotograf av en slump råkat fånga en liten ål på bild. Den annars nästan osynliga ålen lyste plötsligt neongul i skenet av fotografens UV-lampa.

Monokel-abborre

Halv-muräna

Stingrocka

Sjöhäst

Havsanemon

Sjöpenna

Ormstjärna

Blir ormstjärnan attackerad skickar den ut starka ljusblixtar som lockar till sig nya, större djur, vilka i sin tur angriper ormstjärnans fiender.

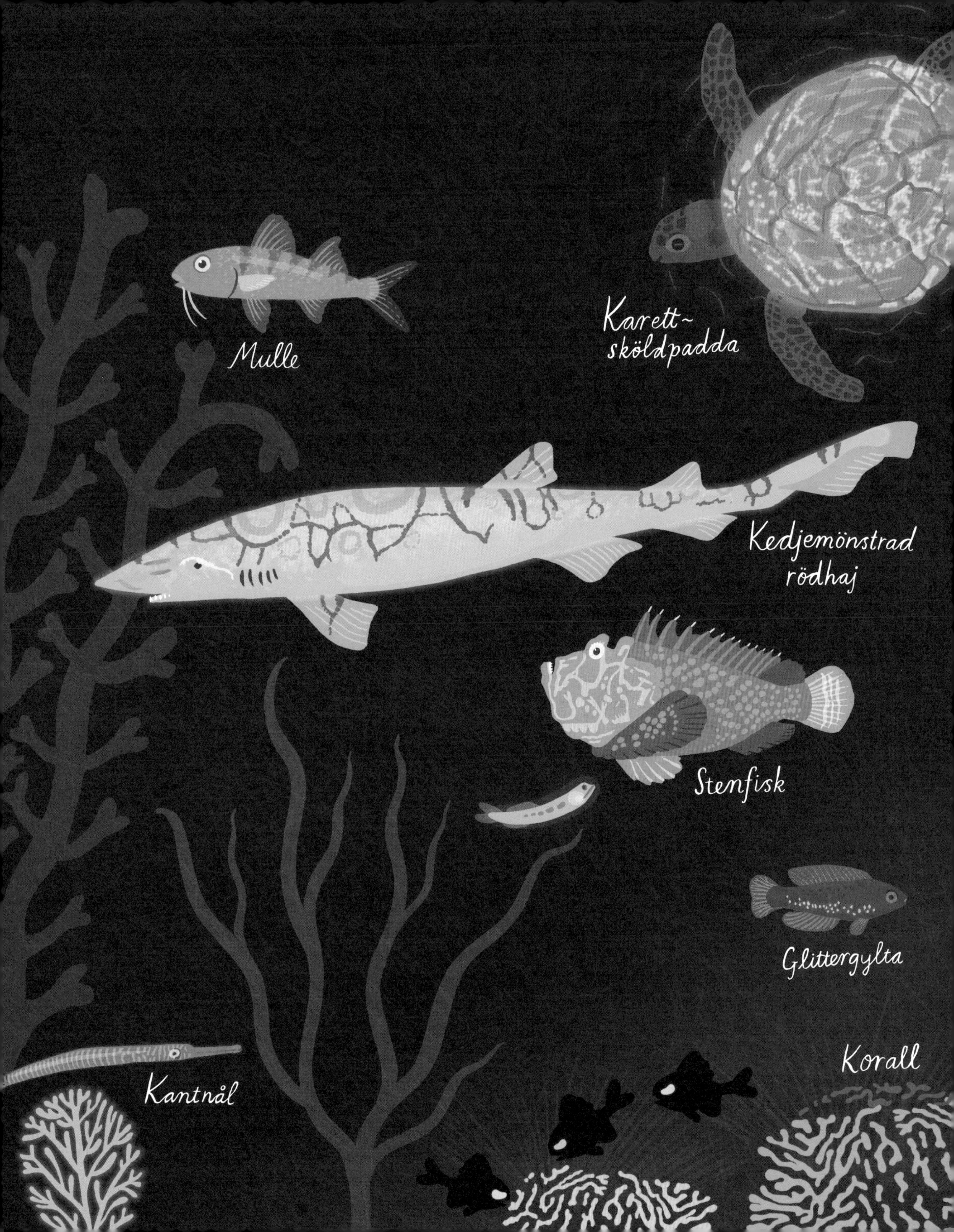

Mulle

Karett-
sköldpadda

Kedjemönstrad
rödhaj

Stenfisk

Glittergylta

Kantnål

Korall

Under sensommaren händer det att havet längs västkusten fylls av plankton, så kallade dinoflagellater. Dinoflagellaterna sänder ut ljusblixtar när de blir störda och om man rör runt med handen eller en pinne i vattnet glittrar det blågrönt. Ljusfenomenet kallas mareld. Att bada i mareld är som att sväva i en stjärnhimmel!

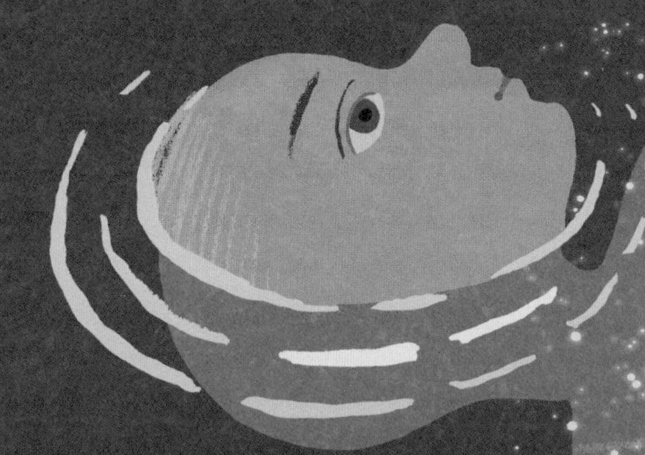

Kammanet

Tunna strån på kammanetens kropp reflekterar ljus och skapar blixtar som rör sig fram och åter längs dess sidor. Kammaneten äter mängder av djurplankton och kan ställa till skada i haven. Mest obalans skapar den amerikanska kammaneten, en art som sprider sig snabbt och som funnits i svenska vatten sedan 2006.

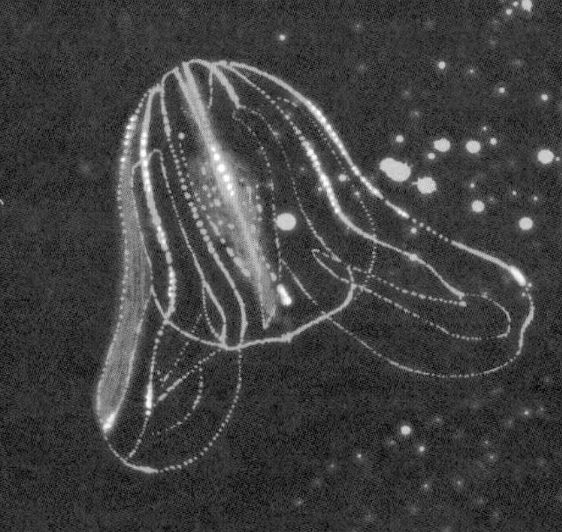

Öronmanet

Till sjöss

Fiskare och sjömän har i alla tider vittnat om magiska ljus till havs. Om vatten som glittrat som om det flutit diamanter på ytan, om snurrande hjul av ljus och om glödande stränder. Det finns mycket som kan lysa i mörkret runt ett båtskrov: eldflugebläckfiskar, plankton, gnistrande havssafirer och musselkräftor. Eller den ibland flera meter långa pyrosoman, ett av havets allra mest gåtfulla djur!

MILKY SEA

Ibland gnistrar havet vitt, då enorma mängder självlysande bakterier samlas vid ytan. Utanför Afrikas kust har ett 25 mil långt lysande område till och med fångats på bild från rymden. Ett sådant område kallas "milky sea" (mjölkigt hav).

PYROSOMA

En pyrosoma är en tubformad, havslevande varelse, uppbyggd av tusentals små minivarelser, så kallade zooider. Varje zooid pumpar in och ut vatten och får pyrosoman att röra sig framåt. Pyrosoman är en av världens mest ljusstarka varelser. (När sjömän beskrivit lysande hjul i havet, kan det då ha varit pyrosomor de sett?)
Varför zooiderna ger ifrån sig ljus när man lyser eller petar på dem är det ingen som vet. Kanske lyser de för att kommunicera, kanske för att skrämma fiender? Pyrosoman växer genom att zooiderna klonar sig själva. Den längsta pyrosoma som man känner till var 18 meter lång.
I en annan, 2 meter lång pyrosoma, hittades en död pingvin!

Zooid

GNISTRANDE NÄT

Längs den japanska kusten kan man under några månader varje år se hur miljoner eldflugebläckfiskar färgar vattnet elektriskt blått! Bläckfisken dyker nattetid upp vid ytan för att fånga småfisk som den lockar med sina lysande tentakler. Den kan blinka från olika kroppsdelar beroende på om den jagar, söker en partner eller gömmer sig för fiender. Eldflugebläckfisken anses vara en delikatess i Japan. Många tar sig till platser som välkända Toyama bay för att se de gnistrande blå näten dras upp ur havet.

MUSSELKRÄFTOR

På stränder i bland annat Karibien lever musselkräftor. På natten kryper dessa upp ur sanden för att leta föda och varje gång de översköljs av vatten lyser de ljusblått. Ljusskenet är så starkt att japanska soldater under andra världskriget använde musselkräftornas ljus till att läsa kartor i.

TOYAMA BAY

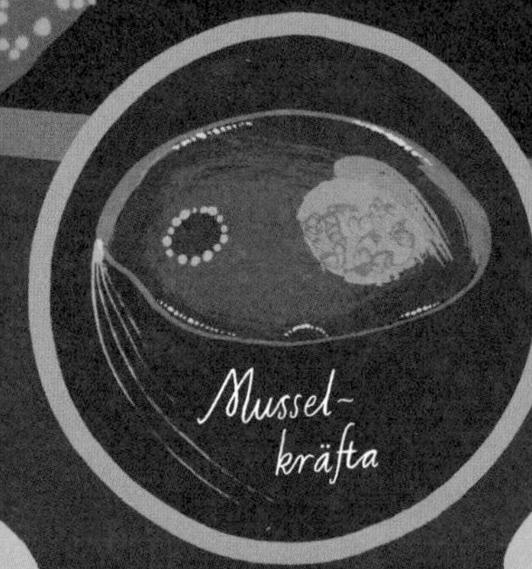

GLÖDANDE STRÄNDER

Längs vissa stränder i världen kan ett plankton (av liknande sort som skapar mareld) få vattnet att lysa knallblått. Den blåaste stranden, där mängder av turister samlas, finns på en ö utanför Puerto Rico.

HAVETS DIAMANT

Havssafirer finns i vatten över hela jorden. Beroende på hur ljuset träffar kan hanarna blixtra och glittra i ena sekunden, för att i nästa bli helt osynliga. Man tror att ljuset hjälper de genomskinliga honorna att hitta hanar vid parning. Närmast havsytan simmar guldgula, orangea och röda havssafirer. Längre ner: gröna, blå och violetta. Japanska fiskare kallar vatten fulla av havssafirer för *tama-mizu*, juvelvatten.

Ljus på väg

Vi har nått land. Längs vägarna är det mörkt. Här och var passerar vi någon nattöppen bensinmack och vägskyltar lyser upp i skenet från bilens lyktor. Kanske tänker vi att det är bra med så mycket ljus som möjligt i mörkret där vi människor rör oss, men ljus kan faktiskt få antalet olyckor att öka. Vilda djur bländas till exempel lätt av vägbelysningen och blir kvar i trafiken istället för att springa tillbaka in i skogen.

Fyrverkerier

Fyrverkerierna uppfanns i Kina och tros ha kommit till Europa med sjöfararen Marco Polo i slutet av 1200-talet. Drottning Kristina (på 1600-talet) var den första som använde fyrverkerier i Sverige.

Nattlysande moln

Ibland kan man se moln som skimrar och lyser blåaktigt på himlen, trots att det är sen kväll. Dessa moln består av pyttesmå iskristaller som bildats kring stoft från vulkanutbrott och meteoriter.

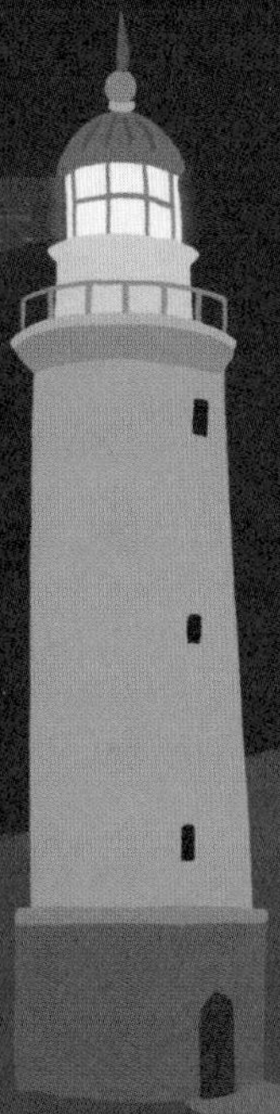

Fyrar

Redan på forntiden användes ljus (i form av eldar på klippor) för att lotsa fartyg och varna för grund. Senare byggde man fyrar, vilka sköttes av fyrvaktare som såg till att ljuset brann. De få fyrar som är i bruk idag styrs automatiskt.

Vägmärken

Vägmärken reflekterar ljus på liknande sätt som katters och andra djurs ögon. Viktigt är att ljuset från vägmärkena ska synas tydligast rakt framifrån, från bilen, och inte spridas åt sidorna.

Elmseld

Vid åskväder kan den starka elektriska spänningen mellan ett moln och marken orsaka att det bildas sprakande ljuskvastar intill spetsiga föremål som åskledare, torn och båtmaster. Detta kallas elmseld och kan också uppstå på flygplansvingar och på toppen av Egyptens pyramider.

Himlaglim

kallas det utspridda ljus som syns över städerna på natten.

Las Vegas

Den plats som lyser allra starkast, sedd från rymden, är casinostaden Las Vegas. På ett av hotellen finns även världens starkaste ljusstråle, riktad mot himlen. Dess sken går att se på 40 mils avstånd! I Las Vegas finns även ett museum där stadens alla kasserade neonskyltar visas.

Staden

Dygnet runt, året runt, lyser våra städer. Ljus från lägenheter, bilar och butiker gör det svårt att se stjärnorna på himlen, men för mycket ljus påverkar även annat runt omkring. Många vet kanske inte att ljus-föroreningar kan göra att både djur och människor blir störda, då skillnaderna mellan dag och natt minskar. Att slösa med ljus är också att slösa på jordens resurser.

HOTEL

BIO

Neonljus

I Sverige tändes den första neonskylten år 1924.

Satelliter

Flera tusen satelliter kretsar kring vår planet, ett par hundra kilometer ovanför oss. De hjälper bland annat till när vi vill studera rymden eller jorden, eller när vi pratar i telefon och tittar på tv. När en satellit reflekterar solens strålar ser vi den som en lysande prick på väg över himlen.

Butiksljus

År 1950 fick butiksägare rådet att låta skyltfönstren lysa minst 30 minuter efter stängning. Nuförtiden lyser de hela nätterna.

Nu!

Vi måste hjälpa vår planet innan det är för sent! En liten men viktig sak som vi alla kan göra, är att byta ut gamla glödlampor mot lågenergilampor. Samtidigt bör vi låta dessa lysa så lite som möjligt. Då spar vi energi och får kanske även chansen att se mer av det som lyser naturligt omkring oss!

Reflex

Alla som rör sig i trafiken behöver använda reflex. Den första reflexbrickan togs fram i Sverige 1954. Innan dess kunde man i USA köpa en slags röd reflex som spändes över axeln

Hemma

Tänk hur det var förr, innan det fanns elektrisk belysning. Då fick man tända en brasa om man ville ha ljus. Och brasan måste vaktas så att den inte slocknade eftersom det var krångligt att göra upp eld. När tändstickorna kom, och stearinljusen och fotogenlamporna, blev livet lite enklare. Och när allt fler hem i början av 1900-talet fick elektricitet var det nästan som magi! Att få ljus bara genom att trycka på en knapp!
Men nu släcker vi istället.
Det är verkligen dags att sova!

Nattflyn

Flygfän flyger ofta mot lampljuset. Vissa forskare menar att det beror på att insekter navigerar efter månen och att ett nattfly tolkar lampans sken som om det vore månens. Andra tror att flygfän söker sig mot ljuset för att det liknar öppningar i tät vegetation.

Världen

Över en miljard människor i världen saknar elektriskt ljus.

Inomhusljus

Inomhus hos oss i Norden använder vi gärna lampor med varmt ljus, medan ljuset i södra Europa ofta har ett kallare sken. Kanske för att kalla länder gillar värme och tvärt om?

Framtiden

Hur många ännu oupptäckta självlysande arter i naturen kommer vi framöver att få lära känna? Vilka nya lösningar som ger oss ljus i natten kommer uppfinnaren att hitta på? Och vilken blir forskarens nästa lysande upptäckt? För att vi och våra barn och barnbarn ska kunna fortsätta vara nyfikna på allt som lyser i mörkret, gäller det att vi är rädda om skog, mark och hav.

Lysglass

Glass som börjar lysa då du nuddar den med tungan? Jo, sådan glass finns! 1500 kronor per skopa kostade den självlysande glassen när den såldes för första gången år 2013.

Nobelprisad manet

Forskare har med hjälp av självlysande maneter kunnat skapa ett slags inre mikroskop som visar hur olika processer i vår kropp fungerar. Ett protein från maneten skickas in i kroppen och går sedan att följa utifrån, vilket gör det möjligt att till exempel spåra sjukdomar. Upptäckten belönades med ett Nobelpris 2008.

Asfalt och cement

Färgpigment som lyser hela natten efter att ha laddats av solen, skulle kunna blandas i målarfärg eller i cement. Och användas längs mörka promenadstråk, på offentliga toaletter i områden utan elektricitet eller i trapphus och badrum. Försök med lysande färgpigment förekommer på olika platser i världen. Kanske kommer framtidens bilvägar att varna för halka genom att asfalten börjar lysa när temperaturen når en viss grad?

Vägbelysning

Till en ny typ av smarta lampor hör bland annat gatlyktor som minimerar ljusspill och vägbelysning som drivs med solceller.

Osynlighetsmantel

Minns du havssafiren? Denna pyttelilla hopp-kräfta hjälper forskare att bättre förstå hur ljus reflekteras, så att man kan utveckla nya, smarta material. Ett sådant skulle till exempel kanske kunna användas i osynlighetsmantlar!

Silkesmasken

Genom att blanda silkesmaskens gener med gener från självlysande koraller och maneter har forskare fått silkesmaskarna att spinna silke som lyser i skenet av UV-lampor.

Levande gatljus

Kommer vi i framtiden att ha lysande björkar och ekar istället för gatlyktor och trädgårdsbelysning? Genom att låta träd få gener från bland annat eldflugor, undersöks om levande gatljus kan bli verklighet framöver. Forskare arbetar också på att ta fram olika växter som lyser när de behöver vatten eller när de drabbas av sjukdomar.

Men ...

... hur mycket ska vi människor experimentera med naturen? Var går gränsen mellan det som är smart och ofarligt och det som är onödigt och riskfyllt? Behöver vi verkligen självlysande byxor, och vad händer när de lysande växterna sprider sig? Hur vill vi egentligen att framtiden ska se ut?

Morgon!

En sak som är säker med natten är att den ju alltid övergår till morgon. Långsamt blir det ljusare. Fåglarna börjar kvittra. Solen går upp. Om man varit vaken under de mörka timmarna kan sånt som verkat krångligt och svårt plötsligt kännas lite lättare att tänka på. Man äter frukost och borstar tänderna.

Dagen kan börja.
Det är mycket man vill hinna göra
innan det blir kväll och natt igen.

Bioluminiscens

Många bakterier, svampar, insekter, fiskar och plankton skapar ljus på kemisk väg för att kommunicera, hitta föda, varna eller för att skaffa sig kamouflage. Ofta används ljuset likt en ficklampa som lyser med ett fast sken eller som kan slås av och på i olika sekvenser. Ordet bioluminiscens är en blandning av *bios* (som på grekiska betyder "liv") och *lumen* (som betyder "ljus" på latin).
I havet har bioluminiscens förekommit i över 400 miljoner år och man uppskattar att mer än 70 procent av de havslevande djuren kan lysa.

Biofluorescens

Vissa djur, växter och mineraler absorberar ultravioletta strålar och omvandlar dessa till lysande gult, grönt, blått, rött och orange. Vi människor kan få syn på denna färggranna värld med hjälp av koncentrerat ultraviolett ljus från särskilda lampor. Om vi använder sådana UV-lampor i ett mörkt utrymme (där våra ögon är som mest känsliga) ser vi tydligast de lysande färger som reflekteras. Hos många djurarter tror man att biofluorescens används för att locka till sig byten eller som ett sätt att kommunicera på, samt för att visa vilka individer som är friskast, starkast och bäst att skaffa ungar med.